마루와 우주가
조르르 달려가요.

둘은 공원에 왔어요.
공원에는 놀이터와
축구장이 있어요.

마루가 놀이터로 가려고 해요.
"마루야, 거기가 아니야.
나를 따라와."

둘은 축구장에 왔어요.

우주가 주머니를 열고
물과 주스를 꺼내요.

주머니에서 축구공도 꺼내요.

주머니 안에
또 무엇이 있을까요?

이 책은 _____ 의 것입니다.

주머니

ⓒ 김미혜, 차선희, 2025

2025년 11월 3일 처음 펴냄

글쓴이 김미혜 | **그린이** 차선희 | **편집** 이진주 | **디자인** 더디앤씨 | **인쇄** 보명C&I | **제작** 세종PNP
펴낸이 김기언 | **펴낸곳** 교육공동체 벗 | **이사장** 오정오 | **사무국** 최승훈, 설원민, 공현
출판등록 제2011-000022호(2011년 1월 14일) | **주소** (03998) 서울시 마포구 월드컵북로7길 76-12 102호
전화 02-332-0712 | **전송** 0505-115-0712 | **홈페이지** communebut.com

ISBN 978-89-214-0 67700
ISBN 978-89-195-2(세트)

주머니	BFL	3
	어절 수	37

값 2,300원

사용 연령
6세 이상

67700
ISBN 978-89-6880-214-0
ISBN 978-89-6880-195-2 (세트)

이름

글 김미혜 그림 차선희

선생님과 학부모님께

이 그림책은 초기 문해력 교육을 위한 수준 평정 그림책입니다.
아이의 읽기 행동을 관찰하고 기록한 결과를 바탕으로 아이의 눈높이에 맞는
책을 골라 주세요. 아이 스스로 책을 선택할 수 있게 해 주시면 더 좋아요.
그리고 가정과 학교에서 아이와 함께 안내된 읽기를 해 주세요.
이 책에는 한글의 여덟 번째 자음 'ㅇ'이 들어간 '이름', '정말', '맛있다', '우리',
'나오다', '이제', '어디' 등의 낱말이 나옵니다. 그림책 속 인물의 이름에도 'ㅇ'이
들어 있어요. 이 밖에 'ㅇ'으로 시작하거나 받침에 'ㅇ'이 있는 낱말을 더 찾고,
소리를 잘 들어 보게 해 주세요. 참고로, 'ㅇ'은 받침으로 쓰일 때만 소리가 나고,
첫소리에 올 때는 실제 소리가 나지 않습니다.
가족이나 친구, 반려동물의 이름을 넣어 "내/우리 ○○의 이름은 △△입니다."와 같이
문장을 만들어 보고, 이름에 담긴 뜻에 대해 이야기를 나눠 볼 수 있어요.